Coleção Dramaturgia

MATÉI
VISNIEC

Biblioteca teatral

Impresso no Brasil, julho de 2012

Título original: *Le Roi, le Rat et le Fou du Roi*
Copyright © Lansman Editeur

Os direitos desta edição pertencem a
É Realizações Editora, Livraria e Distribuidora Ltda.
Caixa Postal: 45321 · 04010 970 · São Paulo SP
Telefax: (5511) 5572 5363
e@erealizacoes.com.br · www.erealizacoes.com.br

Editor
Edson Manoel de Oliveira Filho

Gerente editorial
Gabriela Trevisan

Preparação de texto
Marcio Honorio de Godoy

Revisão
Liliana Cruz

Capa e projeto gráfico
Mauricio Nisi Gonçalves / Estúdio É

Pré-impressão e impressão
Gráfica Vida & Consciência

Reservados todos os direitos desta obra. Proibida toda e qualquer reprodução desta edição por qualquer meio ou forma, seja ela eletrônica ou mecânica, fotocópia, gravação ou qualquer outro meio de reprodução, sem permissão expressa do editor.

O Rei, O Rato e o BUFÃO do Rei

Fábula barroca, farsa,
bufonaria e mascarada para
atores e titereiros

MATÉI Visniec

TRADUÇÃO: PEDRO SETTE-CÂMARA

Realizações Editora

SUMÁRIO

As Personagens | 7

PRIMEIRA PARTE | 9

SEGUNDA PARTE | 47

TERCEIRA PARTE | 71

Notas do Autor | 91

O REI

O BUFÃO

OS RATOS

AS PERSONAGENS

A peça *O Rei, o Rato e o Bufão do Rei*, de Matéi Visniec, foi montada pela primeira vez em 21 de fevereiro de 2002 em St. Jean de Braye pela Companhia Clin d'Oeil, com encenação de Gérard Audax.

Com Daniel Prat e François Herpeux. Cenário: Yvan Raduszenska, com assistência de Andra Badulesco. Marionetes: Norbert Choquet. Iluminação: Frédéric Boch. Som: Emmanuel Delaire. Figurinos: Gisèle Saraiva. Maquiagem: Sylvie Benoît. Cartaz: Vincent Buri.

Com apoio do Conselho Regional do Centro, do Conselho Geral de Loiret e da Prefeitura de St. Jean de Braye.

PRIMEIRA PARTE

Entrada do bufão trajando sua fantasia de bobo e tocando maravilhosamente uma flauta. Ele se aproxima da boca de cena, toca mais algumas dezenas de segundos e depois para. Inclina-se para os espectadores e dirige-se diretamente a eles [originalmente em francês do século XV].

BUFÃO:

Meu nome é Triboulet, e quem repara
vê que sábio não fui – está na cara.
Honestamente a todos imitando,
às damas nenhum mal lhes provocando.
Tamborim toquei, e alaúde, viela,
rabeca, harpa, doçaina, charamela
órgão, trompa, pipia e flautim,
mas acorde e compasso eu nunca ouvi.

O bufão toca mais alguns acordes, e depois faz um sinal de cumplicidade aos espectadores (do tipo "silêncio, vamos começar"). Ele se retira para trás das cortinas.

Abertura das cortinas. Vê-se uma sala escura que parece uma cela de prisão. Há uma porta e uma janela com grades. A porta se abre com um ruído metálico. Duas formas humanas são brutalmente empurradas para dentro da cela.

A primeira é o Rei. Ele é empurrado em cima de uma espécie de trono com rodas que mais se assemelha a um carrinho de mão. Traz na cabeça uma bizarra "coroa" – parece que enfiou na cabeça um bolo de aniversário enfeitado com velas, das quais só uma está acesa. A impressão é de que ele sofreu uma terrível zombaria.

A segunda é o Bufão. Parece uma múmia, envolvido em papel higiênico. Na altura da boca, traz uma fita vermelha com um nó, lembrando presentes de aniversário.

A porta se fecha com o mesmo ruído metálico e assustador. Dois segundos depois, a porta se abre novamente. A verdadeira coroa real e também a flauta usada pelo Bufão na primeira cena são jogadas no chão, aos pés do Rei e do Bufão.

Ao cair, a flauta se parte em duas. A porta se fecha de novo, dessa vez definitivamente. O Bufão geme e se debate como um louco. O Rei, por sua vez, parece sereno e sonhador na cela que é iluminada somente pela vela que arde sobre a "coroa-bolo".

REI: Será que eu morri?

O Bufão geme novamente, debate-se, rola no chão.

Diz pra mim que eu morri, Triboulet.

O Bufão consegue soltar seu antebraço esquerdo.

(*Ainda distanciado do mundo real.*) Por que, por que eu sempre tenho que suportar o tormento das suas farsas, Triboulet?

O Bufão consegue soltar toda a mão esquerda.

Aqui fede. É isso a angústia do povo? Ou são as entranhas gelatinosas da terra que sobem pelos bueiros? É que o povo escuta a notícia da morte do Rei e pronto, já começa a vomitar.

O Bufão continua a se debater furiosamente. Ele consegue soltar os pés.

Ai! E essa dor de cabeça horrível que está voltando! Parece até que eu tenho dois cérebros dentro do mesmo crânio. Você acha que isso é possível, Triboulet?

O Bufão geme, debate-se e começa a tirar a fita que o impede de falar.

Tem gente que nasce com um rim só, com um pulmão só... Às vezes, as galinhas põem ovos que têm duas gemas dentro... Logo, a natureza permite que existam dois cérebros dentro do mesmo crânio... Triboulet, por que você nunca responde quando falo com você?

Rugindo como uma besta feroz, o Bufão consegue tirar a mordaça e cospe diversas bolas de papel higiênico que lhe enfiaram na boca.

A menos que eu tenha dois cérebros, um envolvendo o outro. Talvez um segundo cérebro tenha começado a crescer dentro do meu primeiro cérebro... E é por causa disso que a minha cabeça está inchando... Está claro que isso pode acontecer na natureza. Então a gente não vê os dentes de leite pularem para fora das gengivas quando os dentes definitivos crescem?

Ignorando completamente o Rei, o Bufão, furioso e febril, começa a soltar sua mão direita. Ele solta um urro.

(*Sempre aéreo.*) É você que está arrotando? Você está arrotando ou está chorando? Você está chorando também, Triboulet? Tudo bem, Triboulet, tudo bem. Chore. Solte tudo. Saiba que lamento não ter feito de você cavaleiro. Você merecia mais, por causa das suas leais bufonarias. Eu tinha ao menos que ter mandado fazer uma medalha com o seu rosto, ou ter lhe dado um feudinho para você virar nobre...

Totalmente libertado, o Bufão pula como um felino e se joga contra a porta, decidido a quebrá-la com a força do seu impulso.

BUFÃO: Seus merdalhões! Veados!

REI (*ainda alheio*): Mas agora que eu morri já não posso mais nada. Minha coroa não vale mais do que uma bexiga de porco inchada e recheada de ervilhas secas. Sabe, Triboulet, eu queria ser enterrado vestido com a sua fantasia verde e amarela, com as cores da loucura...

BUFÃO (*sem dar a mínima atenção às palavras do Rei, ainda voltado para aqueles que supostamente estão do lado de fora*): Abram imediatamente, porra! Guarda, abra essa porta imediatamente! Chega!

O Bufão dá alguns passos para trás, recupera o fôlego e novamente se precipita contra a porta.

Vamos, a brincadeira acabou, chega! Estão me ouvindo?

REI: E, em vez do cetro, vou levar para o meu túmulo o seu bastão, Triboulet... E você vai contar tudo isso nas suas canções. Está me ouvindo? Triboulet, estou falando com você, fale pra mim que você está ouvindo.

BUFÃO (*esmurrando a porta*): Eu não fiz nada! Estou do lado de vocês! Viva o povo! Viva a revolução! Abram! Abram, estou dizendo! Abaixo o Rei! Abram! Eu sou só o bufão... Ora, abram, pelo amor de Deus! Eu sou só um bufão... Vocês não têm esse direito! Eu fazia vocês rirem... Eu fazia vocês rirem, bando de miseráveis! Vamos! Abram! Viva o povo!

REI (*tira uma das luvas e joga-a na cabeça do bobo*): Cale a boca, Triboulet. Estou com dor de cabeça.

BUFÃO (*ainda ignorando o Rei, voltado para aqueles que supostamente estão do outro lado da porta*): Eu fazia vocês rirem... Não esqueçam que eu fazia vocês rirem... Ainda agora consigo ouvir vocês, vocês estão do outro lado e estão rindo...

REI (*tira os dois sapatos e os contempla em suas mãos*): Sim, deve ser por causa disso que minha cachola real dói tanto... Eu devo ter dois cérebros... (*Ele bate na testa com um dos sapatos.*) Você acha que isso é possível, Triboulet? (*Joga um sapato na cabeça do Bufão.*) Ter dois cérebros, um dentro do outro? Mas realmente eu ter isso nem me impressiona. Como o povo tem memória curta, é normal que o Rei tenha dois cérebros.

O Rei joga o segundo sapato na cabeça do Bufão. Magoado, humilhado, o Bufão se arrasta de quatro ao longo da parede. Chega embaixo da janela. Está soluçando. Fica de pé, mas a janela é alta demais para que ele consiga olhar para fora.

BUFÃO (*começa a pular para agarrar as grades, ainda falando com as pessoas que supostamente estão do lado de fora*): Me tirem daqui!

REI: Dignidade, Triboulet, só um pouquinho...

BUFÃO: Vocês não querem sujar as mãos com o sangue de um bufão inocente!

REI (*sonsamente assumindo o papel do povo*): Queremos sim.

BUFÃO (*furioso*): Não estou falando convosco. (*Finalmente consegue agarrar-se às grades, mas não consegue subir para olhar para fora.*) Eu sou só um bufão inocente! Estão me ouvindo?

REI (*novamente assumindo a voz do povo*): Não.

BUFÃO (*ainda falando com aqueles que supostamente estão do outro lado da janela*): Quero falar com o juiz!

Quero falar com o chefe da guarda! Vamos, me deixem sair! Parem com essa palhaçada.

REI: Me conte uma piada, Triboulet, fale alguma besteira... E pare com esse soluço. Vamos, massageie um pouco as minhas têmporas...

BUFÃO: Majestade, não faleis comigo que não estou falando convosco. Está tudo acabado entre nós! Agora eu sou livre! E quero sair daqui...

REI: Tenha um pouquinho de paciência, Triboulet. Você vai ser livre quando sair da sua pele.

Humilhado, vencido, o Bufão se aproxima do rei e massageia-lhe a sola do pé.

BUFÃO (*choramingando*)**:** Quero sair daqui, quero sair daqui, está me ouvindo?

REI (*sonhador*)**:** Você acha que é possível ter um cérebro que, por causa do desgosto, produza um segundo cérebro para ajudá-lo? E que esse cérebro cresça terrivelmente rápido, porque está sendo chamado para prestar socorro? E que a força com que ele cresce faça rachar a caixa craniana, provocando essa dor toda...

BUFÃO (*ainda massageando os pés do Rei*)**:** Não penseis mais, Majestade. É isso que vos faz mal. Em vez disso, chamai os guardas para me tirar daqui.

REI: O cérebro antigo, enfastiado, está sendo expulso pelo novo, mas o segundo também logo fica enfastiado, e vem um terceiro, e cresce, e cresce... E isso faz transbordar o caldeirão...

O Bufão solta os pés do Rei e novamente se precipita contra a porta.

BUFÃO (*furibundo, bate contra a porta*): Não quero ficar trancado com um louco! Tenho direito a uma cela própria!

O Rei se levanta e, com a grandiosidade de um soberano ferido ou gravemente doente, se arrasta até a porta. Também começa a bater.

REI: Tirem imediatamente o meu bufão daqui!

BUFÃO: Dizei a eles que sou inocente.

REI: Meu bufão é inocente.

BUFÃO: Dizei a eles que é o rei que está dizendo.

REI: É vosso Rei que está dizendo!

BUFÃO: Gritai mais alto! Mais alto!

REI: Meu bufão é inocente!

BUFÃO (*acende uma segunda vela na cabeça do rei e começa a soprar o texto*): Exijo que ele seja libertado imediatamente!

REI: Exijo que ele seja libertado imediatamente!

BUFÃO (*com voz baixa*): Não esqueçam que era ele que fazia vocês rirem!

REI: Não esqueçam que era ele que fazia vocês rirem!

BUFÃO (*acende uma terceira vela na cabeça do Rei. Com voz baixa*): E ele ainda pode fazer vocês rirem! A revolução precisa de um bufão! Se vocês querem que a revolução tenha sucesso, protejam o bufão do Rei! Toda revolução que põe de lado os bufões antigos se dirige para o abismo, para o fracasso...

REI (*sem ser necessariamente contra essa ideia*): Um pouco de respeito, Triboulet. Isso eu não posso falar.

BUFÃO: Falai mesmo assim, Majestade. De todo jeito, ninguém está ouvindo a gente.

REI: Lamento muito, Triboulet, mas isso você não pode me pedir.

O Bufão acende mais duas velas na cabeça do Rei.

BUFÃO: Vamos, Majestade, só um agradinho...

REI (*gritando*): Toda revolução que recusa os bufões antigos se dirige para o abismo, para o fracasso...

BUFÃO: Vós vedes... Não é tão difícil assim.

REI (*arrebatado, continua a gritar*): Matai-me, se quiserem! Matai vosso Rei, mas pelo bem da pátria, respeitai o bufão do Rei, que ele vai sempre divertir vocês!

BUFÃO (*emocionado, quase corando*): Majestade, eu não tinha pedido tanto...

REI (*voltando para seu trono-carrinho*): Mas você merece. Você foi um bufão formidável.

BUFÃO: Majestade, por favor... Assim eu vou chorar.

REI: Enfim, foi graças a você que eu consegui aguentar a vertigem que eu sentia diante do buraco sem fundo que é aquela idiotice de encarnar o poder.

BUFÃO: Ah, mas que pena que não tenha ninguém aqui para escutar isso! (*Bate na porta.*) Tem alguém aí? Vamos, respondam! Não estamos pedindo nada, a gente só quer que vocês escutem!

REI: O seu humor foi o único espelho em que eu pude acreditar. A sua loucura foi o supremo elogio da liberdade. E, além do mais, sua loucura foi a única forma de liberdade que eu jamais conheci...

BUFÃO: Ah, como isso é bonito... Como isso é bonito... Ah, eu suplico, Majestade, não digais mais nada... Não me tortureis mais! Isso me deixa mal, mal por saber que os ouvidos da história não registrarão vossas palavras. Merda, o Rei está se confessando, cadê vocês? Guardas, respondam se vocês estiverem aí! (*Para o Rei.*) Ninguém! A história tem ouvido de galinha, pequenininho... Mas onde é que eles estão, meu Deus? Onde é que eles estão?

Um barulho enorme do lado de fora. A cela é iluminada por algo como uma explosão.

O Bufão, trepado nos ombros do Rei, olha pela janela. Ouvimos os ruídos de uma festa que está no auge. Às vezes as duas personagens precisam gritar para se fazer ouvir.

BUFÃO: Ah... Que maravilha! Que coisa magnífica!

REI: Meu Deus, me conte!

Ouve-se o barulho de um pavio aceso. A cela é iluminada pelos fogos de artifício soltados do lado de fora.

BUFÃO: Oh... Uau... Parece até uma chuva de estrelas... Mas que beleza!

REI: Mas me conte, Triboulet, o que é que está acontecendo?

BUFÃO: O povo está feliz! Olhai!

REI: O quê?

BUFÃO: O povo feliz... Não existem palavras para contar isso...

REI: Triboulet, me conte, senão você vai é descer.

BUFÃO: Enquanto o povo está feliz, a imaginação se recolhe.

REI: O quê?

BUFÃO: É comovente demais, não dá pra falar nada. As palavras ficam atravessadas na garganta.

REI: Mas o que é que eles estão fazendo?

BUFÃO: Estão todos vestidos de rei e dançando a farândola em volta de uma fogueira enorme!

REI: É tudo por sua causa... Foi você que inventou a festa dos loucos.

BUFÃO: Estão dançando a farândola e cantando! E todo mundo está se abraçando! Os ricos estão soluçando nos braços dos pobres, e os pobres estão chorando nos braços dos ricos. Eles estão se apertando, estão enxugando as *larmas*[1] uns dos outros. Os anões dão as mãos aos gigantes, os gordos aos magros, os bonitos aos feios... Os cegos largaram as bengalas e passeiam pela multidão guiados pelos surdos. Os aleijados são levados nos ombros pelos soldados da guarda real. Os ladrões, os assassinos e os estupradores são carregados em triunfo nos ombros dos alunos da Academia de Bufões. Parece que foi proclamada a anistia geral. As prisões e os manicômios foram esvaziados...

Nova salva de fogos de artifício.

---

[1] Em itálico, exemplos de "palavras torcidas" (ver observação ao final).

REI: Eu sabia, eu sabia que um dia o Diabo e Deus iam dar as mãos...

BUFÃO: Ah, Majestade, que pena que não podeis ver isso! É realmente comovente. O povo e a volta da liberdade! É tudo maravilhoso demais para ser descrito em palavras. É a mais linda festa dos loucos que eu já vi. Estão arrastando as vestes, estão tomando banho de champanhe, estão todos se apalpando, fazendo cócegas uns nos outros... Estão rolando no chão e trepando nas árvores. A cidade inteira está chorando de alegria, Majestade, não estais ouvindo os soluços?

REI: Por que, por que se entregar a tanto furor de ódio? Eu era a própria bondade, a própria legitimidade. Fui eu que inventei a ternura de Estado, o êxtase diante do direito natural... A minha alma era pura, e eu alimentei a lei moral com essa pureza.

BUFÃO: É a liberdade total, meu queridinho. Olhai! É o momento mais belo da vida deles.

Mais uma salva de fogos de artifício. Gritos, aplausos.

REI: Sempre quis inspirar nos meus súditos o amor viril pela virtude, o amor vigoroso pela glória... Fazer com que eles possuíssem o amor da pátria, era só isso que eu queria... Triboulet, diga pra mim que eu não fui um mau Rei...

BUFÃO: Mas mesmo assim...

REI: Não, eu não fui um mau Rei...

BUFÃO: Mas mesmo assim...

REI: Triboulet...

BUFÃO: Os carros! Olhai! Ah, os carros alegóricos estão chegando... Ah, mas que alegria, mas que beleza...

REI: Como é que eles são? Quantos tem?

BUFÃO: Dúzias e mais dúzias... Dúzias de carros floridos, cheios de saltimbancos, de palhaços, de malabaristas, de contorcionistas, de mímicos e de equilibristas. Os engolidores de fogo estão engolindo fogo... E os engolidores de espadas estão engolindo espadas... (*O mesmo barulho de pavio aceso. A cela é iluminada pelos fogos de artifício soltados do lado de fora.*) Ah, tem alguém em cima da *bitruna* fazendo um discurso.

REI: Ah, porque também tem uma tribuna...

BUFÃO: Olhai, o povo quer a cabeça do Rei imediatamente.

REI: Quero saber quem é que está na tribuna.

BUFÃO: Esperai, não estou ouvindo a falatória.

REI: O falatório.

BUFÃO: Parece que agora tem gente que quer julgar-vos primeiro.

REI: Julgar um Rei? Eles querem acrescentar mais alguma abominação àquelas que já praticaram? Quero saber quem é que está na tribuna.

BUFÃO: Me deixai ouvir! A tribuna está lotada! Estão todos lá!

REI: Quem? Quem?

Pausa. Uma nova e imensa salva de fogos de artifício.

BUFÃO: Magnífico! Deslumbrante! Majestade, preciso dizer que esses fogos estão muito melhores do que os do vosso último aniversário.

REI: Quem está lá? O Chicot está lá?

BUFÃO: Está, está sim.

REI: O quê?!

Nova salva.

BUFÃO: Deslumbrante. Sublime! Majestade, preciso falar... São os fogos de artifício mais extraordinários que eu já vi até hoje!

REI: E Marthurine, está lá?

BUFÃO: Marthurine... Marthurine... Sim, ela está lá também.

REI: Tem certeza?

BUFÃO: Já falei...

REI: E Villemaniche?

BUFÃO: Está lá, está lá.

REI: E Brusquet? E Mestre Guillaume?

BUFÃO: Estão lá, eles também.

REI: E Sibilot, está lá também? E Angoulevent? E Girardin?

BUFÃO: Estão todos lá, Majestade. Todos, todos, todos! A corte inteira está festejando, com o povo em volta. Parece até que somos os únicos que não estão lá. Até o fogueteiro é o mesmo de sempre. Só que agora os fogos são melhores.

Nova salva. A melhor de todas.

REI: Mas que desordem! E no entanto eu sempre velei pela pureza da justiça... E sempre odiei a brutalidade do direito, a crueldade de seus excessos... E nunca – nunca! – estive de acordo com Diderot, que fala que o povo tem que apaziguar os reis injustos pela submissão.

BUFÃO: Sublime! Incrível! Isso sim a gente pode chamar de fogos de artifício. Vós estais ouvindo os aplausos? Acho que o povo não grita desse jeito desde o sucesso de vossa operação de bexiga.

REI: Mas se...

BUFÃO: *Xixi...*

REI: *Xixi*, ano passado, depois do meu discurso sobre a beleza da liberdade interior, o povo soltou gritos de alegria iguaizinhos aos de hoje.

BUFÃO: Não, naquele dia não foi forte que nem hoje.

REI: *Xixi.*

BUFÃO: Não, não.

REI: *Xixi.*

BUFÃO: Não, não.

REI: Bom, chega, desça. Também quero dar uma olhada.

BUFÃO: Ah, não, de jeito nenhum. Meus ombros são frágeis. Já me basta ter de levar o mundo nas costas. Além disso, não é digno de um Rei ficar espiando pela janela da cela...

REI: Chega, Triboulet, desça. Meus joelhos estão fraquejando... Estou sentindo que vou desabar... E a dor de cabeça está voltando...

Ouve-se a multidão se aproximando da janela da prisão. Rostos mascarados aparecem na janela. Saltitam ao ritmo da música. São diversos rostos grotescos, inchados, deformados pelo riso e pelo delírio.

Subitamente, uma chuva de lixo cai em cima do Rei e do Bufão. Parece que uma enorme lixeira foi virada em cima da cabeça das duas personagens. Os dois caem no chão.

Do lado de fora, a música, os gritos e as canções ficam cada vez mais altos.

Continua a cair lixo sobre as duas personagens: confetes, ovos, tomates podres, bolas de papel, pedaços de máscaras (olhos, narizes, bocas, línguas, orelhas gigantes), etc.

Em algumas dezenas de segundos o Rei e o Bufão são cobertos por um monte de detritos. O Bufão fica deitado, torcido, protegendo a cabeça com as mãos, aos pés do Rei. O Rei mantém a dignidade, mas permanece ajoelhado.

Antes de se retirar, a multidão também joga na cela o cadáver de um cachorro.

A música fica mais distante, os rostos se retiram e desaparecem, a luz diminui. Breu.

A cela é vagamente iluminada pela luz da lua, as sombras das grades são projetadas no assoalho. O Rei dorme em seu trono-carrinho. O Bufão dorme retorcido aos pés do Rei, com o manto real cobrindo-lhe os pés.

Ainda cobertos pelos detritos, a impressão é que as duas personagens estão no meio de um depósito de lixo.
O Rei desperta subitamente.

REI: Não consigo dormir sem meu cachorro.

Um momento de silêncio.

BUFÃO (*sem se mexer, escondido sob o manto real*): Mataram vosso cachorro.

Um momento de silêncio.

REI: Quem ousou matar o cachorro do Rei?

BUFÃO: O povo.

REI: O quê?! O povo matou meu cachorro?! E olha que sempre tratei o povo como se fosse meu próprio cachorro!

Pausa.

BUFÃO: Temos que dormir, Majestade.

REI (*acariciando o cadáver do cachorro*): Aqui está fedendo demais...

BUFÃO: Pegai vosso frasco de perfume e passai um pouco.

REI (*tira um frasco e cheira*): Não gosto de alecrim.

BUFÃO: Mas isso não é alecrim, é lima.

REI: Lima, tá bom!

BUFÃO: É lima, sim.

REI: Mas não é mesmo!

O Bufão estende a mão, pega o frasco e cheira.

BUFÃO: É sim, Majestade, é lima! Vosso nariz deve estar entupido! Mesmo. Além disso, essa não é a primeira vez que vós confundis um perfume com o outro. Vossa Majestade jamais teve o senso dos cheiros. Normalmente vós não sentíeis fedor. (*Imitando o Rei.*) "Aqui está fedendo demais." É incrível que vós ainda tenhais o desplante de reclamar. "Aqui está fedendo demais." Vamos dormir, amanhã vamos ser julgados pelo povo.

Pausa.

REI (*ainda acariciando o cadáver do cachorro*): Você não tem a impressão, Triboulet, de que já falamos isso que estamos falando agora?

BUFÃO: Não!

Pausa. Silêncio. Aparece um rato na janela. O rato se inclina para dentro da cela, cheira as grades, explora a borda da janela.

REI: Foi você que fez xixi?

O rato permanece imóvel.

BUFÃO: Não!

REI: Fez sim, você fez xixi!

BUFÃO: Não fiz!

REI: Fez sim, fez xixi embaixo do manto, e agora ele está fedendo a xixi.

BUFÃO: Não, é o assoalho que está fedendo a xixi.

REI: Uns minutos atrás não estava fedendo tanto assim.

BUFÃO: Estava sim. Olha só! Se vós não sabíeis, agora sabeis. Em vosso reino, tudo fede a xixi.

REI: Ah, não! Não venha me dizer que isso aí é xixi. Esse fedor é obviamente de cocô.

BUFÃO: Ah, não! Vossa Majestade novamente se engana! É de xixi!

REI: Escute, Triboulet! Pare de achar que eu sou idiota. Sei muito bem fazer no meu reino a distinção entre o cheiro de xixi e o cheiro de cocô.

BUFÃO: Escutai, enfim, não estou nem aí. Deixai-me dormir.

REI: De jeito nenhum, é uma questão de princípio. Há anos que você me faz acreditar em qualquer coisa! E agora, uma vez na vida, insisto para que você admita que esse cheiro é de cocô.

BUFÃO: Não, é de xixi!

REI: Guarda!

BUFÃO: Não adianta ficar berrando à toa. O guarda não está ouvindo.

REI: Guarda! (*Longa pausa. O Rei se dirige a um guarda imaginário.*) Na sua opinião, guarda, o cheiro aqui dentro é de xixi ou de cocô? (*Silêncio. O Rei espera a resposta. O rato levanta as orelhas. O Rei insiste, furioso.*) Guarda, ordeno que responda. Na sua opinião, o cheiro aqui dentro é de xixi ou de cocô?

O rato olha para a direita e para a esquerda, como se procurasse a presença do guarda.

BUFÃO (*após uma longa espera decide tomar parte na brincadeira e assume o papel do guarda*): Majestade, na verdade, temo que o cheiro seja de um cadáver.

REI: Ah, bom! Porque aqui tem um cadáver! Está ouvindo, Triboulet? Na sua cela tem um cadáver.

BUFÃO: Boa noite, Majestade. Quero dormir.

Pausa. O rato desce a parede embaixo da janela. Cheira a parede, e se aproxima do assoalho.

REI: Ai, ai! Isso fica crescendo dentro da minha cabeça, Triboulet...

O rato permanece imóvel.

BUFÃO: É por causa dessa pedra maldita, Majestade... Dormi.

REI: Que pedra?

BUFÃO: A pedra da loucura. Já falei que vós devíeis operar. É preciso extirpar esse cálculo mental de vossa cabeça.

Pausa. O Rei e o Bufão parecem dormir. O rato explora o assoalho. O Rei tem um sobressalto.

REI: Triboulet...

BUFÃO: Sim?

REI: Tem um rato na janela, Triboulet. (*O Bufão não responde. Silêncio. O rato permanece imóvel.*) Triboulet, um rato acaba de cagar na beira da janela. Está me ouvindo, Triboulet? Talvez você tenha razão. Isso não é cocô humano. É cocô de rato... Triboulet, estou sentindo minha cabeça fazer puf.

BUFÃO: E eu estou sentindo meus intestinos se contorcerem. Puf!

Pausa. O rato atravessa a cela e se aproxima do Rei com muita prudência. O rato começa a farejar os pés nus do Rei.

REI: Triboulet... Triboulet, pelo amor de Deus, responda! Ele vai cagar na sua cabeça!

BUFÃO: Mas o que é que foi agora?

REI: Tem um rato me lambendo...

BUFÃO: E daí?

O rato permanece imóvel.

REI: Olhe ele ali... Ele fica me farejando, Triboulet... Meu Deus, ele fica farejando meus pés... Ele está subindo no meu peito... Triboulet, você acha que ele vai me morder?

BUFÃO: Não, Majestade, ele sabe que ainda estais vivo.

REI: Triboulet, não sei como falar com os ratos. O que é que eu preciso fazer?

BUFÃO: Não façais nada. Respirai. Arrotai. Roncai tranquilamente para mostrar que ainda estais vivo. Os ratos nunca atacam os humanos que ainda estão respirando.

O rato sobe no pé do Rei, avança pelos quadris e para no peito.

REI: Ele está olhando a minha boca. Acho que ele quer me dizer alguma coisa.

BUFÃO: Não, Majestade, um rato é apenas um rato. Ele não quer dizer nada. Ele só está procurando alguma coisa para comer.

REI: Nós temos alguma comida aqui, Triboulet?

BUFÃO: Não.

REI: Triboulet, ele está em cima do meu peito, está tremendo de medo e mesmo assim não vai embora.

BUFÃO: Ele vai roer vossos botões. É preciso deixá-lo roer. Vossos botões são de seda. Os ratos adoram botões de seda.

O rato sobe na coroa-bolo e começa a comê-la.

REI: Triboulet, quero que você fale com ele.

BUFÃO: Mas o que é que quereis que eu lhe diga?

REI: Diga alguma besteira, conte uma piada, fale qualquer coisa que vá divertir o rato. Dê bom dia ao senhor rato.

O Bufão está com o manto real sobre os ombros. Fica de pé atrás do Rei. Estende os braços e, estendendo a capa, cria como que um palco, um teatro de marionetes improvisado, por cima da cabeça do Rei. O rato-marionete continua se refestelando na coroa-bolo, como se estivesse num pequeno palco.

BUFÃO: Bom dia, senhor rato.

O rato para um segundo, escuta e depois volta a comer.

REI: Pergunte se ele está se sentindo sozinho.

BUFÃO: O senhor está se sentindo sozinho, senhor rato?

O rato para de mastigar, escuta e volta a mastigar.

REI: E aí?

BUFÃO: E aí o quê?

REI: O que foi que ele disse?

BUFÃO: Ele não disse nada.

REI: Pergunte se ele é um mensageiro.

BUFÃO: Mas por que ele seria um mensageiro?

REI: Talvez ele tenha sido enviado pelos outros ratos.

BUFÃO: Mas por que vós mesmo não lhe perguntais tudo isso?

REI: Triboulet, não esqueça que o Rei sou eu! Você quer que eu fale com um rato? Pergunte se ele tem alguma mensagem para mim.

BUFÃO: Senhor rato, sua Majestade pergunta se o senhor tem alguma mensagem a dar-lhe.

O rato levanta de novo as orelhas, volta a cabeça para o Bufão e inclina-se para o Rei, dando a impressão de estar entendendo tudo, e volta a comer.

REI: E então?

BUFÃO: Parece que sim.

REI: Ele está se sentindo sozinho?

BUFÃO: Sim, eles todos se sentem terrivelmente sozinhos lá na merda. A solidão na merda, como ele está dizendo, é a mais assustadora forma de solidão. É pesada demais. É insuportável. E é terrivelmente humilhante. A condição existencial deles é a de escavadores da imundície. O universo deles é o das imundícies interiores dos humanos. O território vital deles é a sujeira do mundo interior. Ao que parece, eles já não aguentam mais.

O rato faz uma cara de profunda angústia. Subitamente, ele soluça. Talvez tenha comido demais. Ele desce pelos ombros do Rei, passa pelo peito, pelos joelhos e, enfim, chega ao chão.

REI: Senhor rato, não vá embora!

BUFÃO: Estais louco, Majestade? Falais com um rato?

REI: Diga-lhe que não sou um Rei qualquer! Diga-lhe que eu também sou um rato, um Rei, um rato... um Rei desgostoso!

BUFÃO: Ele vai embora...

O rato se dirige para a janela. O Bufão e o Rei vão atrás dele, de quatro.

REI: Senhor rato, não vá... Eu também estou roído pelo desgosto... O desgosto explodiu na minha alma como uma *bulha* fedorenta... Não sei como foi que isso aconteceu... Um dia eu estava no meu trono, como sempre, contemplando o mundo, o meu reino e...

BUFÃO: Puf!

REI: Senti alguma coisa na boca! A *bulha* fedorenta tinha explodido na minha boca, a *bulha* fedorenta tinha me invadido inteiro, tinha me paralisado... Isso foi rápido e irreversível...

BUFÃO: Puf!

REI: Ninguém entendeu nada. Triboulet não entendeu nada. Meu cachorro ficou latindo pra mim, não me reconhecia mais! Você tem noção, senhor rato? Ficar tão abalado pelo desgosto que nem o seu cachorro o reconhece mais... Subitamente, como num relâmpago, me dei conta da inutilidade de tudo! Da inutilidade do meu cachorro. Da inutilidade da terra. Da inutilidade da violência sobre a terra... E compreendi, em um segundo, coisas ainda mais sutis... Tive a revelação da violência da inutilidade... Eu tive vontade de perguntar a Triboulet...

BUFÃO: Puf!

REI: "Triboulet, para que serve a vida humana, para que serve esse baile cósmico de máscaras, se não para emporcalhar o universo?". Eu tive vontade de perguntar isso a Triboulet, mas as palavras ficaram entaladas na minha garganta, viscosas, gelatinosas, e para sempre presas na minha garganta. Eu tive vontade de perguntar a Triboulet...

BUFÃO: Puf!

REI: "Triboulet, por que somos filhos da carnificina, as excrescências dessa fúria, dessa fúria, dessa fúria, dessa fúria, dessa fúria, dessa fúria..."

BUFÃO: Puf!

REI: O senhor entende, senhor rato, fiquei bloqueado na palavra fúria, fúria, fúria, fúria, fúria...

BUFÃO: Puf!

REI: Eu não conseguia mais sair dessa palavra, que também explodia como uma *bulha* fedorenta em cada uma das minhas células... Eu queria me afastar dela, mas a palavra já tinha sido fechada na minha boca, eu já tinha na boca o gosto da impotência, e a impotência, aliás, também era inútil... Eu não conseguia mais pensar o contrário a respeito dessa palavra, eu não conseguia mais chegar do outro lado do meu cachorro... E foi então que ouvi um grito...

BUFÃO: Puf!

REI: "Não, não é possível existir fora da carnificina da natureza..."

BUFÃO: Puf!

REI: Foi você que gritou, Triboulet?

BUFÃO: Não!

O rato volta a subir na direção da borda da janela.

REI: Eis! Não foi ele, senhor rato... Então foi quem? Aqui dentro só há nós três, um Rei, um rato e o bufão do Rei, sonhando com a ternura. A gente sonha, sonha e puf! Tudo desaba, porque não conseguimos nem mesmo limpar a nossa própria merda interior. Mostre pra mim, Triboulet. O que é que a ternura universal com que a gente sonha faz?

BUFÃO: Ela faz puf!

O rato lança um último olhar para as duas personagens e desaparece. Ouvem-se ruídos estranhos, parece que um exército de marceneiros está construindo alguma coisa.

REI (*desaba no chão, embaixo da janela, e irrompe em soluços*): Está vendo, senhor rato? E eu, eu sou o primeiro Rei que tem a boca fechada pelo desgosto... Por que eu, por que eu? Toda epidemia costuma começar por baixo, em baixo, lá embaixo... E eis que essa começa por mim, aqui, pelo alto... E mais ainda, ela é lenta, porque eu, aqui agora, nesse momento, sou o único que está doente... Triboulet, diga ao senhor rato que logo eles serão libertados da tirania da merda... Os senhores ratos, que hoje se sentem tão sozinhos lá na merda... Triboulet...

O Bufão novamente entra em posição fetal aos pés do Rei, se cobre com o manto real e dorme.

Manhã. O Bufão está arrumando um pouco a cela. Junta a sujeira, concentrando-a perto da ribalta. O Rei, ainda coberto com alguns detritos, ignora o monte de sujeira e avança até a boca de cena. Ele assume uma atitude "majestosa".

REI: Não reconheço a autoridade deste tribunal. Não reconheço seu direito de existir. A existência deste tribunal é um crime que viverá eternamente e que jamais será apagado. Este tribunal é um abismo que engole o mundo inteiro, que desfigura o futuro e que ofende a Deus. E virá o dia em que os juízes que ora têm assento neste tribunal serão julgados, em que as testemunhas que testemunharem neste tribunal serão julgadas, em que os guardas que guardam as portas deste tribunal serão julgados, em que os tambores que anunciaram a abertura deste julgamento serão julgados, em que o carrasco também será...

BUFÃO: Chega, meu reizinho, ainda não estamos lá.

REI: Concordo, eu termino a frase com o carrasco.

O Bufão coloca a luva que o Rei tinha jogado em sua cabeça e, com a mão que veste a luva, começa a tirar a sujeira que o cobre.

BUFÃO: E, de todo modo, isso não está bom.

REI: Você acha?

BUFÃO: Parai de representar.

REI: Mas por que você acha que estou representando?

O Bufão se aproxima do Rei e, com a ajuda de uma pequena vassourinha, que usa com a mão que tem a luva, começa a limpar a pessoa do Rei.

BUFÃO: Uma vez na vida, tentai ser mais profundo do que autoritário.

REI (*cospe uma casca de limão*): Eu acho que a autoridade é a coisa mais profunda que existe.

BUFÃO: Não mesmo, não mesmo. Deixai-me mostrar. (*Pega a verdadeira coroa real, que está caída no chão entre a sujeira, e coloca-a na cabeça.*) Então, quando vós estiverdes diante de vossos juízes, vós deveis olhar direto nos olhos deles. E vós deveis ser simples e profundo. (*Com a vassourinha na mão e a coroa na cabeça, ele vai na direção da boca de cena, ao lado do Rei. Calça os sapatos que o Rei lhe tinha lançado; assume uma atitude real e mostra ao Rei como é que se deve dizer o texto.*) Não reconheço a autoridade deste tribunal. Não reconheço seu direito de existir. Este tribunal não passa de um arrepio de horror da história, a emanação pestilenta de um abuso do direito. Ele não procede do direito divino, ele não é um espelho da justiça natural... A existência deste tribunal é um crime que viverá eternamente e que jamais será apagado. (*Ele para, e se volta para o Rei.*) Captastes?

REI: Sim.

Com a vassourinha, o Bufão volta a tirar alguma sujeira que cobre as vestes do Rei.

BUFÃO: Ide, ao trabalho.

REI (*seguindo as indicações do Bufão*): Não reconheço a autoridade deste tribunal. Não reconheço seu direito de existir. Este tribunal não passa de um arrepio de horror da história, a emanação pestilenta de um abuso do direito. Ele não procede do direito divino...

BUFÃO: Não, não, não!

REI: Mas por quê?

O Bufão tira a roupa do Rei, limpa-a e depois a joga no chão.

BUFÃO: Parai com esse perpétuo ar de pai da nação. Tendes uma certa idade, exibi-a como expressão da sabedoria. É preciso dar a impressão de que a sabedoria mesma é que está falando. Que é o próprio Sócrates quem está falando. Ide, tornai-vos Sócrates.

REI (*mudando de atitude*): Não reconheço a autoridade deste tribunal. Não reconheço seu...

BUFÃO: Parai! Parai! Sois exasperante. Deixai de lado esse toque trágico. (*Coloca a vassourinha em uma das mãos do Rei.*) Quero uma sabedoria serena... Não é preciso dar a impressão de que tendes medo de qualquer coisa.

REI (*seguindo, na medida do possível, as indicações do Bufão*): A existência deste tribunal é um crime que viverá eternamente e que jamais será apagado. E virá o dia em que os juízes que ora têm assento neste tribunal serão julgados, em que os varredores que varreram o assoalho deste tribunal serão julgados... Este tribunal não passa de um cu que devora o mundo inteiro, que desfigura o futuro e que ofende a Deus... (*Para, olha para o Bufão, que fica boquiaberto.*) Não, não está bom. Estou sentindo que não está bom. Além disso, não gosto muito desse texto. Quero que você escreva outra coisa para mim.

BUFÃO: Ah, de jeito nenhum! O texto está perfeito!

REI: Não entendo por que os varredores precisam ser julgados. Nisso aí você exagerou.

BUFÃO: Não, não, trata-se de uma metáfora. Isso toca o coração, isso bate fundo nos centros emotivos... E no mais, isso assusta.

REI (*retoma o discurso*): E virá o dia em que os varredores que varreram o assoalho deste tribunal serão julgados... Este tribunal não passa de um cu que... (*Para e reflete.*) Realmente, Triboulet, essa frase eu nunca vou conseguir falar com a cara séria.

BUFÃO: Mas é preciso falá-la com a cara séria. É o ponto alto da acusação, vós pronunciais uma sentença, há uma mudança de papéis... Majestade, confiai em mim, sois vós que vos tornais juiz nessa frase...

REI: E Deus... Por que misturar Deus nisso tudo?

BUFÃO: De todo modo, isso não faz mal. Uma referência a Deus nunca é inútil. Bem dosado, Deus ainda pode comover...

Ouvem-se novamente os ruídos do exército de marceneiros que está construindo alguma coisa.

SEGUNDA PARTE

O Bufão caminha em direção à boca de cena com os dois pedaços da flauta quebrada nas mãos. Ele tenta consertar a flauta, tenta colar de novo os dois pedaços. Toca a flauta, mas os sons são horrendos. Desiste e dirige-se diretamente ao público.

BUFÃO:

Meu nome é Triboulet, e quem repara
vê que sábio não fui – está na cara.
No canto e na dança não tive igual,
mas foi no falar que fui especial;
Na minha mente a obra não cessava,
com dez palavras mil contos eu contava.
Sem ter brasão, lutei de espada e lança,
cruel igual na dor e na festança.
Os pajens, mal me viam, já tinham febre,
bravo e feroz, e intrépido como a lebre.

O Bufão tenta tocar a flauta novamente, os sons são sempre horríveis, ele a abandona e se retira.

Dia. Rua deserta, os vestígios da festa espalhados. Diversas portas fechadas. O Rei e o Bufão perambulam pelas ruas vazias da cidade. O Rei está em seu trono-carrinho, empurrado pelo Bufão.

BUFÃO: Puf!

REI (*ausente, aéreo, abanando-se com a vassoura*): Foi você que fez puf? (*Silêncio. O Bufão continua empurrando o trono-carrinho.*) Foi quem, foi esse rato gigante que está saindo da terra? Não me diga que foi o meu povo que alimentou ele. (*Silêncio. O Bufão continua empurrando o trono-carrinho.*) Triboulet, é você que está passeando com roupa de general, montado nas costas desse rato gordo? Mas como é que você consegue montar um rato enorme desse jeito, Triboulet? E ainda mais com essa armadura? Você sempre foi tão medroso, meu pobre Triboulet...

O Bufão para, enxuga a testa e olha em volta.

BUFÃO (*gritando*): Porcalhões! Canalhas! É isso que vocês chamam de justiça? Essa justiça de vocês, vocês podem enfiar nos seus rabos sem memória!

Volta a andar empurrando o Rei.

REI: He, he... Ainda te vejo se arrastando pelos meus campos de batalha como um carneiro indo para o abatedouro...

O Bufão para, precipita-se como um louco para a primeira porta e começa a bater nela violentamente.

BUFÃO: Se é isso a justiça, então o povo morreu. O povo jamais teria feito isso. O povo sempre me amou, o povo...

REI (*inspecionando a coroa, cujas velas já estão parcialmente consumidas*): Você se lembra, durante o cerco de Peschiera, quando você ouviu o primeiro tiro de canhão... Você caiu de quatro, e começou a cavar um buraco na terra para se proteger...

BUFÃO (*aproximando-se de uma segunda porta*): Não me digam que é essa a justiça do povo. Vocês sempre me aplaudiram... Só eu era capaz de cuidar das suas feridas...

REI: Vamos, Triboulet, pare de ficar girando em volta de mim montado em cima desse pobre rato... Você vai ficar cansado... Não estamos mais sitiando Milão... Olhe, ele comeu as minhas velas... Quando foi que dei aos ratos o direito de se alimentar das minhas velas? Isso deve ter sido mais um dos seus conselhos... Eu não devia ter lhe dado ouvidos, Triboulet, agora olhe só, não tem mais nenhuma vela que preste, e a noite está caindo...

O Bufão se precipita contra uma terceira porta. Ele se joga com toda a força do seu corpo e começa a martelá-la com os punhos.

BUFÃO (*gritando com aqueles que supostamente o estariam escutando do outro lado*): Eh, senhor povo! Quem era o único que compreendia as suas feridas? Vocês esqueceram que as minhas piadas e as minhas macaquices eram a única pomada para as suas feridas *rupulentas*... Para as suas almas feridas *rupulentas*... Puf!

Esgotado, o bufão cai no chão. Enxuga a testa, o pescoço, as têmporas.

REI: Ai! Meus tímpanos... Essa pedra maldita começou a se mexer dentro da minha cabeça... Talvez você tenha razão, talvez eu devesse pensar em como tirar ela daqui...

BUFÃO (*choramingando*): Quem tinha o direito de faltar ao respeito com o Rei? Quem tinha o direito de macaquear o Rei? Quem tinha o direito de gozar da cara do Rei? Agora vocês já esqueceram de tudo.

REI (*saindo subitamente do seu delírio*): Triboulet, quero que a gente volte para a cela. Triboulet, está me ouvindo? Pense na minha dignidade.

BUFÃO: Todas as minhas pilhérias, todos os meus panfletos... O que eu dei a vocês foi ar, foi ar... Eu bombeei ar fresco nos pulmões de vocês, lufadas de oxigênio nos pulmões de vocês... E vocês esqueceram tudo!

REI: Triboulet, leve-me imediatamente para a minha cela... Você não está vendo que o mundo inteiro está gozando da nossa cara? Tenha um pouco de dignidade...

BUFÃO: Cala-te, Reizinho! (*Ataca de novo a primeira porta.*) Senhor juiz, eu ordeno que o senhor abra!

Está me ouvindo? Recuso-me a ser enforcado! Eu sei que o senhor está aí! Está me ouvindo, senhor juiz? O senhor não pode enforcar um bufão! Eu não sou um reles palhaço... Eu sou a consciência do povo, ô, cacete!

REI: Ai, parece que essa pedra maldita começa a dar *lupos* toda vez que você abre a boca... Você sempre me fez rir demais, Triboulet, e olhe só, a minha boca ficou desfigurada de tanto rir... Mas você sabe, Triboulet, você sabe que o povo é poltrão e ingrato...

BUFÃO (*continua batendo na porta do juiz*): Eu sou o bufão do Rei! Eu também tenho o direito de ser decapitado!

REI: Era você que sempre me dizia... o povo é covarde, se assusta com nada, não tem memória... Ah! Triboulet, quando penso em todos os bons conselhos que você me deu... Na sua cabeça caberia muito bem uma coroa ducal ou uma mitra episcopal...

BUFÃO (*prosseguindo a fala anterior*): Senhor juiz, isso é ridículo! Abra! Recuso-me categoricamente a ser enforcado, está me ouvindo? Quero que me cortem a cabeça!

REI (*dissimuladamente assumindo o papel do povo*): Não, você vai ser enforcado!

BUFÃO (*furioso, para o Rei*): Não estou falando convosco.

REI: Olha, esses ratos me roeram os botões todos! Assim, como é que eu vou subir no cadafalso?

BUFÃO (*começa a bater na segunda porta*): Senhor carrasco, abra! Eu quero ser decapitado!

REI (*assumindo novamente a voz do povo*): Não, você vai ser enforcado!

BUFÃO (*para o Rei*): Infeliz de merda, exijo que tu não me dirijas mais a palavra! (*Novamente, batendo na porta do carrasco.*) Sai, anda! Quero que minha cabeça seja cortada! Tenho o direito de ter a cabeça cortada!

REI: Você faz barulho demais, Triboulet. Venha aqui, massageie um pouco a minha pedra...

Humilhado, vencido, o Bufão se reaproxima do Rei e massageia-lhe a cabeça.

BUFÃO (*para o Rei, choramingando*): Quero que me cortem a cabeça no mesmo patíbulo, no patíbulo em que a vossa cabeça será cortada. E estou disposto a ir primeiro...

REI (*extasiado com a massagem*): Isso, isso... aí... É bem aí... Está sentindo a pedra? Ela ainda está aí? Ela cresceu mais? Triboulet, decidi te fazer nobre. (*Toca o ombro esquerdo do Bufão com a vassourinha.*) Eu o consagro mestre dos correios a cavalo de Paris.

O Bufão larga a cabeça do Rei e se precipita novamente contra a porta do juiz.

BUFÃO (*furibundo, bate contra a porta*): Você ouviu, senhor juiz? Meu soberano me transformou em nobre! Ninguém tem o direito de me enforcar!

O Rei, com um ar que é pura dignidade, se levanta e começa também ele a bater nas portas fechadas da cidade.

REI (*batendo na primeira porta*): Por que vocês estão se escondendo, seus miseráveis? Saiam, se tiverem culhão de enfrentar um Rei humilhado!

A porta se abre. Um rato com um acordeão aparece timidamente na soleira.

BUFÃO: Dizei a eles que um nobre não pode ser enforcado...

REI (*batendo numa segunda porta*): Saiam, seus frouxos!

A porta se abre. Um rato com uma gaita aparece timidamente na soleira.

BUFÃO: Dizei a eles que fui eu que inventei a festa dos loucos.

REI: Por que vocês estão escondidos que nem os ratos?

BUFÃO: Gritai mais alto!

REI (*bate numa terceira porta*): Sou eu, vosso Rei, quem fala convosco! Mas é meu bufão quem tem razão!

A porta se abre. Um rato com um trompete aparece timidamente na soleira.

BUFÃO (*soprando o texto para o Rei*): Exijo que ele seja decapitado no mesmo dia que eu, antes de mim, com todas as honras devidas a um bufão nobre!

REI: Exijo que ele seja decapitado no mesmo dia que eu, antes de mim, com todas as honras devidas a um soberano!

BUFÃO (*em voz baixa*): Não vos esqueçais de que foi ele que inventou a Academia dos bufões!

REI (*bate numa quarta porta*): Foi ele que teve a ideia de mandar um bufão a cada cidade, a cada aldeia, a cada conselho municipal, a cada conselho paroquial...

A porta se abre. Um rato com um tambor aparece timidamente na soleira.

BUFÃO (*em voz baixa*): Foi ele que escreveu meus discursos, que me ensinou meus gracejos, que espalhou o boato de que eu tinha o dom da profecia, foi ele que fez de mim um verdadeiro Rei!

REI: Lamento, Triboulet, mas isso você não pode pedir que eu diga.

BUFÃO (*voltando a massagear-lhe a pedra da loucura*): Ah, Majestade, um agradinho...

REI (*gritando*): Foi ele que fez de mim um verdadeiro Rei!

BUFÃO: Vede, Majestade, não é tão difícil assim.

REI (*arrebatado, continua a gritar*): É ele o verdadeiro Rei, eu juro, vocês têm a palavra do Rei que Triboulet, meu bobo, meu bufão, é que é o verdadeiro Rei!

BUFÃO (*comovido, quase corando*): Majestade, eu não tinha pedido tanto...

REI: Pois é, pois é, mas você merece. Você foi um bufão sublime.

BUFÃO: Majestade, puxa... Assim vós me fazeis chorar.

REI: Foi graças a você que consegui aguentar, enfim, a vertigem da estupidez da comédia do poder. A sua loucura foi a minha única bússola moral...

BUFÃO (*sai, voltando a empurrar o Rei sobre o trono-carrinho*)**:** Ah, como isso me faz mal, como me faz mal saber que as orelhas de porco da história não registram as suas reflexões. (*Dirige-se para a rampa.*) O Rei está confessando, cadê vocês? (*Ao Rei.*) Ninguém! Mas onde estão todos, meu Deus? Onde estão todos?

Todas as portas e todas as janelas da cidade se abrem. Surgem ratos com instrumentos musicais. Obedecendo a um sinal invisível, os ratos começam a tocar seus instrumentos. A cacofonia musical é terrível. O Rei e o Bufão tapam os ouvidos.

Bufão e Rei diante do cadafalso. O Bufão ainda está com a coroa, as luvas, os sapatos e o manto real. O Rei cochila em cima do trono-carrinho.

BUFÃO (*enxugando o suor*): Acordai, majestade. Chegamos.

REI (*sem abrir os olhos*): É bonito?

BUFÃO: Ah! É sim! Eles não *enocomizaram* nos meios.

REI (*ainda de olhos fechados*): É grande?

BUFÃO: Hummm, é sim... Um pouco mais alto do que o costume.

REI: E o patíbulo?

BUFÃO: Bem no meio.

REI: E o machado?

BUFÃO: Do lado do patíbulo, em cima do tapete amarelo.

REI: Ah, então tem também um tapete!

BUFÃO: Hunf, sim, tem um grande tapete amarelo para vós, e para mim um pequenino tapete verde, embaixo da forca.

REI: Ah, então colocaram uma forca também...

BUFÃO: Hunf, sim, logo atrás do patíbulo.

REI: Tudo em cima do mesmo cadafalso?

BUFÃO: Hunf, sim, a gente é inseparável.

REI (*bocejando*): Ainda e sempre na minha cola...

BUFÃO: Mas alegrai-vos... A forca é pequenininha, parece até que foi adaptada para o meu tamanho. Por outro lado, o patíbulo é maior do que de costume.

REI: Bom, isso seria o mínimo...

BUFÃO: Vede, vós tendes direito a um patíbulo maior do que de costume.

REI: Bom, isso seria o mínimo...

BUFÃO: É sempre tu, tu e novamente tu, meu Reizinho, que consegues tirar teu corpo fora.

REI: E as *bitrunas*?

BUFÃO: Ah, as *bitrunas* são uma maravilha!

REI (*abre os olhos e olha tudo em volta*): Você acha que tem lugar para quanta gente?

BUFÃO: Milhares, milhares...

REI: Você acha que vai ter lugar para todo mundo?

Ficando subitamente febril, o Bufão se aproxima do cadafalso.

BUFÃO: Bem, vamos, a gente tem que se preparar.

REI (*avança até a boca de cena*): Será que eu vou de colete ou não?

BUFÃO: Bem, acho que vós ficais melhor com a camisa branca.

REI: Que camisa branca?

BUFÃO: Aquela camisa branca.

REI: Mas mesmo assim, o colete não vai combinar. O colete vermelho por cima da camisa branca vai ficar muito… forte.

BUFÃO: Ah, não, não, não… O colete vermelho de jeito nenhum. Se vós ides passar desta para melhor de colete, ao menos escolhei o azul.

O Rei levanta o colete vermelho.

REI: E por quê? Eu adoro o vermelho.

BUFÃO: Mas, Majestade… Refleti um pouco. Vermelho vai ter de qualquer jeito… (*Veste o colete vermelho do Rei e continua as explicações.*) O colete vermelho vai só absorver e matar a cor vermelha do sangue. Já o colete azul vai realçá-la. Mas melhor ainda seria ir de camisa. Imagine o sangue vermelho molhando a camisa branca. Uma imagem inesquecível.

REI: Está certo, a camisa branca. Mas o colar eu vou usar.

BUFÃO: Ah, não, não me parece que o colar seja necessário.

REI (*levantando o colar*): Triboulet, você não acha que eu vou lhe emprestar o meu colar.

BUFÃO (*que ficou com o colete vermelho e agora pega o colar do Rei*)**:** Seria uma bela maldade dar o colar de presente ao carrasco. Imaginai o impacto desse gesto. Isso vai ficar bem gravado na memória de galinha da história...

REI (*desabotoa a camisa, deixando à mostra o peito cabeludo*): Obrigado, Triboulet. Talvez esse seja o melhor conselho que você já me deu.

BUFÃO: Ah, não... (*Abotoa de volta a camisa do Rei.*) Isso é de mau gosto... Dois botões já bastam. Vós não sois um velho sedutor de peito cabeludo, vós sois um Rei que prepara sua entrada na memória da canalhice universal...

REI: Está bem, está bem... (*Pega uma folha de papel, olha o texto nela, se dirige para a boca de cena e começa a declamar.*) Adeus, meus filhos, adeus a vocês, povo desvairado! Vocês decidiram matar seu pai. Eu os perdoo, por amor. Suas mãos ficarão para sempre manchadas pelo sangue desse crime. E seus filhos também nascerão com as mãos sujas de sangue... E esta será a única imagem de mim que vocês levarão em suas almas, imagem que pouco a pouco limpará essa nódoa. Adeus, meus filhos, adeus, povo sem razão! (*Para o Bufão.*) O que você acha?

BUFÃO: Não, não está bom não.

REI: E por quê?

BUFÃO: Dá a impressão de que fostes vós que escrevestes.

REI: E daí?

BUFÃO: Não deixariam que vós fizésseis um discurso tão longo.

REI: Mas... mesmo assim... o carrasco me conhece. E ele já vai ter ficado com meu colar...

BUFÃO: O problema não é o carrasco. Vosso discurso é idiota. Mas eles, eles vão achar vosso discurso perigoso. E não vão deixar-vos terminar.

REI: Mas posso discursar bem rápido... Tem quantas frases... Uma, duas, três...

BUFÃO: Acho que não é preciso que vossas últimas palavras ao povo sejam de censura.

REI: Bem, não é exatamente hora de agradecer.

BUFÃO: É preciso pensar, Majestade. As últimas palavras de um Rei ficam gravadas para sempre na memória do povo. São palavras que atravessam *tronfeiras* e fecundam o imaginário da humanidade. Levadas pela imaginação dos povos, vossas palavras vão também atravessar os séculos... É preciso uma mensagem universal, confusa e enigmática, de perdão e de sabedoria.

REI: Ótimo, então escreva, ande!

BUFÃO (*dirige-se para a boca de cena, assume a atitude do Rei e começa a declamar*): Falem-me uma besteira... Mas que farsa, essa! Meu primo alemão Strozzi também está aqui. Saudações, primo! Ah, pobre histrião, trapaceiro, velhaco genial, te amo! Mas cuidado com os ratos! Agora eles têm o direito de cagar e de mijar no quarto do Rei. Alguém vai ter que comer os cérebros daqueles que, a vida inteira, nunca entenderam nada. Era uma vez um povo. Adeus! O que, exorcizar? Olhem bem para mim, eu que vou exorcizar vocês. Obrigado, Triboulet, vou nomeá-lo chefe do correio a cavalo de Paris. O bem e o mal muitas vezes são vizinhos. Olhem, aqui está para vocês o meu chapéu de bobo, vivam as artes jograis. Adeus!

REI: Não entendi rigorosamente nada.

BUFÃO: Sim, mas imaginai um pouco a estupefação do povo, dos guardas, dos nobres, dos burocratas, dos historiadores...

REI: Eles vão é achar que eu fiquei louco.

BUFÃO: Talvez, talvez um pouco, no começo. E depois vão começar a interpretar o sentido das vossas palavras... E isso nunca mais vai parar. Os historiadores, os filósofos, os poetas, os alquimistas do pensamento, todos vão tentar compreender as últimas palavras do Rei. Milhares de páginas vão ser escritas, haverá disputas universitárias a esse respeito, a chama da incerteza nunca vai se apagar... Vossas palavras tornar-se-ão proféticas, servirão para justificar tudo, para compreender tudo, para questionar tudo... A história, meu caro Reizinho, é escrita assim. E como a gente tem de morrer, vamos ter de deixar a esses embrutecidos uma bomba filosófica de efeito retardado, que vai explodir sem parar na cara deles, geração após geração, até o fim dos tempos. É essa a arte essencial da ambiguidade, e serei eu, Triboulet, bobo e bufão real logo esquecido, que terei começado tudo...

Breu.

Noite. O Rei está sentado sobre o cadafalso, apoiado contra o patíbulo. Sua camisa está ligeiramente manchada de sangue. O Bufão dorme aos pés do Rei. O Rei tem um sobressalto.

REI: Estou com frio, Triboulet. Estou sentindo que está fazendo frio dentro da minha cabeça.

BUFÃO (*após um silêncio, sem se mexer*): As pedras da loucura são assim. Elas são frias.

REI: E se a gente acendesse uma fogueira com essa sujeira toda? Hein? Talvez ela aquecesse a gente.

BUFÃO: Deixai-me dormir, Majestade.

REI: Quando fecho os olhos, tenho a impressão de que a pedra fala comigo. O que você acha que eu deveria responder?

BUFÃO: Deitai-vos e deixai-me dormir.

REI: Psst! Escute... Você não está ouvindo isso?

BUFÃO: O quê?

REI: Escute esse silêncio. Você não tem a impressão de que já falamos isso que estamos falando agora?

BUFÃO: Vamos dormir, Majestade, que precisamos de todas as nossas forças. Amanhã vamos representar o espetáculo do suplício diante do povo.

Pausa. Silêncio.

REI: Triboulet...

BUFÃO: Não vos estou ouvindo.

REI: Tem alguém andando em volta do cadafalso.

BUFÃO: Majestade, a cidade está deserta.

REI: Então por que é que eu estou ouvindo alguém andando em volta do cadafalso? Talvez seja o senhor carrasco. Ande, vá lá ver se é ele que está andando em volta do cadafalso. Ele talvez ache que não pode subir. Vá dizer a ele que o Rei autoriza que ele suba no cadafalso. (*Para baixo, gritando.*) Estou chegando! (*Para o Bufão.*) Ande, não é educado deixar ele ficar rodando desse jeito, fale para ele subir. (*O Bufão se arrasta até os degraus do cadafalso e perscruta a noite.*) E aí?

BUFÃO: Não tem ninguém.

REI: Triboulet, não o reconheço mais. Você está vendo muito bem que temos uma visita.

Um rato gigante sobe timidamente os degraus, tendo os dois pedaços da flauta quebrada entre suas patas. Ele cheira os pés do Bufão e depois cheira o assoalho do cadafalso.

BUFÃO: Mas estou dizendo que não tem ninguém, majestade. Ninguém além de um rato.

REI: Um rato? E por que você não fala para ele subir? Hoje o Rei recebe os ratos. A partir de agora, o Rei sempre recebe os ratos, a toda hora, dia e noite.

BUFÃO: Majestade, tendes certeza de que...

REI: Triboulet, seja educado. Diga: "Suba, senhor rato".

BUFÃO: Suba, senhor rato.

REI: "Por aqui".

BUFÃO: Por aqui, senhor rato.

O rato gigante avança, cheira o manto real, o machado, e se aproxima do Rei.

REI: Desculpe-nos por essa bagunça toda, senhor rato. O Rei morreu e o povo fez a festa. Eu já morri, mas mesmo assim querem arrancar minha cabeça. O que é que o senhor acha disso, senhor rato? Triboulet, vá pegar um prato sujo para o senhor rato.

BUFÃO (*encontra um prato no monte de sujeira e o coloca diante do rato gigante*): Seu prato, senhor rato.

REI: Está ótimo, Triboulet, é bom ser educado com os ratos. Por favor, pergunte se ele está com fome.

BUFÃO: Não, ele não está com fome.

REI: Pergunte, por favor, se ele quer mijar.

BUFÃO: Não, Majestade, ele acabou de comer, de mijar e de cagar há pouco, durante a festa. Agora ele veio por uma razão totalmente diferente.

REI: Diga a ele que sou todo ouvidos.

BUFÃO: O Rei é todo ouvidos, senhor rato.

REI: Sou todo ouvidos, senhor rato. Sei que é difícil viver junto do homem. Sei que é difícil viver em meio a todos esses dejetos, em cima dessas margens imundas, nesses esgotos e nesses buracos nauseabundos... E mais, ainda lhe dão um veneno que faz você vomitar seu sangue e suas entranhas todas... Triboulet, vou criar uma nova lei.

BUFÃO: Sim, Majestade!

REI: Está anotando?

BUFÃO: Sim, Majestade!

REI: Ninguém nunca mais vai ter o direito de envenenar os *trapos*.

BUFÃO: Está *vagrado*.

REI: Os ratos podem mijar e cagar, noite e dia, na cela do Rei e até em cima do cadafalso do Rei.

BUFÃO: Anotado.

REI: Os ratos podem farejar o bufão do Rei. Também têm o direito de farejar o Rei. Os ratos têm o direito de subir no trono do Rei, no peito do Rei, na cara do Rei, na cabeça do Rei.

BUFÃO: Anotado.

REI: Os filósofos do reino terão de redigir uma obra para justificar do ponto de vista metafísico os direitos dos ratos de cagar e de mijar no quarto do Rei.

BUFÃO: Isso já foi feito, Majestade.

REI: Os filósofos do reino terão de redigir um manual intitulado "Como viver em perfeita harmonia com os ratos".

BUFÃO: Isso já foi feito, Majestade!

REI: Nunca refletimos o bastante sobre a missão que cabe aos ratos neste mundo. É preciso repensar tudo, tudo, tudo, tudo. O senhor rato gigante aqui presente diz que é infeliz perto do homem. O homem solta sujeira demais. Os ratos ficam inquietos. Eles não conseguem dar conta do ritmo com que o homem acumula sujeiras. Diga a ele, Triboulet, que compreendo como eles se sentem desamparados.

BUFÃO: Exatamente, ele está dizendo que a cidade inteira virou um enorme dejeto. A situação é insuportável. Mais ainda, o homem foi embora.

O rato gigante soluça.

REI: Senhor rato, o senhor sentiu pânico?

BUFÃO: Ele está dizendo que, depois de fugir, os humanos deixaram uma montanha de sujeira irroível... E que os ratos têm cada vez mais dificuldade para devorar tudo aquilo, para limpar tudo aquilo...

REI: É verdade que o homem tinha começado a cheirar mal? Pergunte a ele se é verdade que o homem tinha começado a cheirar mal.

BUFÃO: Sim. Até os ratos já estavam nauseados. Por isso eles exigem...

REI: Eles exigem...

BUFÃO: Não ouso repetir, Majestade...

REI: Vamos, coragem, o que é que eles exigem?

BUFÃO: Eles exigem ser reconhecidos como parte integrante do ser humano.

O rato gigante estende a flauta ao Bufão. Outros ratos gigantes aparecem, sempre em volta do cadafalso. O Bufão e o Rei se entreolham, um pouco assustados. O Bufão toma a flauta. Ele tenta tocar a flauta, mas os sons que saem são assustadores. Ele passa a flauta ao Rei. O Rei tenta tocá-la, mas os sons são assustadores. Cúmplices, o Bufão e o Rei se dirigem para a boca de cena.

TERCEIRA PARTE

O Bufão e o Rei se dirigem diretamente ao público.

BUFÃO:

Meu nome é Triboulet, e quem repara
vê que sábio não fui – está na cara.
O Rei me colocou em sua mesa,
e eu o diverti com esperteza.
Dos homens que ele tinha a seu serviço,
nenhum era tão bom em seu ofício.

REI:

Triboulet foi um bobo, de curta cabeça,
aos trinta sábio igual ao dia da nascença.
De testinha e olhão, nariz arredondado,
grande corcunda e abdômen longo e achatado.
A todos imitou, e cantou, dançou, falou,
sempre tão bom que nunca a ninguém desagradou.

Manhã enevoada. O Rei dá voltas em torno do cadafalso parcialmente roído pelos ratos. De vez em quando sobe no patíbulo e perscruta o horizonte. A flauta trazida pelo rato está sobre o patíbulo. Num canto do cadafalso estão, em atitude de grande respeito, três ratos gigantes.

REI (*humilhado e inquieto*)**:** Por quê? Por quê? Por quê? (*Um tempo. Sobe no patíbulo e perscruta o horizonte.*) Por que estão fazendo isso conosco, por quê? (*Um tempo.*) Faz três dias que estou esperando a execução... Três dias que fico dando a volta nesse patíbulo! E ninguém aparece. Nem o carrasco, nem os tambores, nem a multidão. E, pior ainda, está fazendo cada vez mais frio... Quanto tempo ainda vou esperar assim, só de camisa?

O Rei se senta sobre o patíbulo. Os ratos, em seu canto, aproximam suas cabeças, dando a impressão de estar discretamente confabulando.

E esses ratos que me perseguem o tempo inteiro, que ficam me observando o tempo inteiro... Não estou entendendo nada... (*Dirige-se aos ratos.*) O que é que vocês querem agora, senhores ratos? Onde é que está o senhor carrasco? Onde é que estão os tambores?

Aquela multidão toda que tanto queria ver rolar a cabeça do Rei, onde é que ela foi parar?

Os ratos continuam se consultando, como se quisessem dar uma resposta ao Rei.

Cá está o tapete, todo molhado, cá está o patíbulo, que apodrece embaixo da chuva, cá estão as tribunas, que estão desmoronando... Por quê, por que estão fazendo isso comigo... E meu bufão, que nunca aparece quando preciso me divertir um pouco...

Os ratos continuam se consultando. Eles parecem ter chegado a uma decisão. Um dos ratos gigantes dá alguns passos na direção do Rei.

(*Para o rato.*) E então? Você quer me dizer alguma coisa? Você quer que eu lhe faça uma festinha?

O rato faz uma expressão doce; parece até que está corando.

De fato, não consigo entender o que vocês querem... Já faz dias e mais dias que vocês ficam aí, debaixo da chuva, olhando para mim...

Acaricia o rato.

Venha, você também, você está todo molhado... Por que você fica sempre rodando em volta desse cadafalso? Você e seus irmãos... Eh, senhores ratos, venham...

Os dois ratos que ficaram à distância subitamente se movem.

Venham, aproximem-se...

Os dois ratos que ficaram à distância confabulam e, em seguida, dão alguns passos na direção do Rei.

Não tenham medo... Aliás, vocês nunca têm medo... Vocês estão tremendo de frio... Vocês estão tiritando... O que é que eu posso fazer por vocês agora?

Troca de olhares entre os três ratos.

Eu sei que, do seu ponto de vista, a vida emocional do homem não passa de uma diversão, que serve para que ele fuja de limpar sua sujeira...

Os três ratos subitamente começam a prestar viva atenção.

Eu sei, eu sei que vocês esperam mais, que vocês querem ser igualados ao homem... E isso é perfeitamente lógico...

Um dos ratos soluça.

Na verdade, a definição do homem passa pela sua relação com os ratos. E cada indivíduo pode calcular seu peso metafísico... em ratos. Vocês estão entendendo o que estou dizendo...

Um segundo rato soluça.

Olhem só, vocês estão com soluço... Triboulet também é igualzinho... A cada vez que se concentra numa ideia abstrata, começa a soluçar.

O terceiro rato também soluça.

Portanto, como eu dizia...

O Rei fica indo e vindo diante dos ratos, que o acompanham respeitosamente com seu olhar e com sua cabeça.

Um homem que vale um rato... O que é que isso quer dizer... Isso quer dizer um homem que produz uma sujeira que necessita da intervenção de um só rato. Um homem que vale dois ratos... O que é que isso quer dizer... Isso quer dizer que, para esse homem, ou melhor, para a sujeira produzida por esse homem, é necessária a intervenção de dois ratos... Um homem que vale trinta ratos é um homem que produz tanta sujeira que trinta ratos são obrigados a ficar dia e noite comendo sua sujeira... Estou sendo claro?

Os três ratos soluçam ao mesmo tempo.

Isso é semelhante à vida interior e à produção das ideias. Um homem que, com seus pensamentos, provoque o nojo de um rato apenas, tem do ponto de vista metafísico o peso de... um rato. Em suma, sua inteligência tem o peso de um rato. Um homem que, com seus pensamentos, provoque o nojo de dez ratos, tem, do ponto de vista metafísico, o peso de dez ratos... Em suma, ele pesa dez ratos. Toda ideia, todo produto da inteligência pode ser pesado desse jeito. Existem ideias de um rato, ideias de dois ratos, ideias de treze ratos, ideias de cem ratos. Eis, assim, pela primeira vez na história da filosofia, um instrumento eficaz para quantificar a reflexão e para pesar a inteligência. O rato é uma unidade de medida confiável para a vida espiritual e física do homem. Eis, portanto, uma mudança fundamental na maneira de formular o problema fundamental da filosofia e, assim, esse problema, pesado em ratos, fica resolvido... Vocês concordam?

Os três ratos soluçam e fazem sinal de que sim.

Vou chamar Triboulet para mandar ele decretar uma lei a respeito.

Um dos ratos espirra.

Como assim? Vocês não querem?

Os três ratos fazem sinal de que não.

Ah, vocês me cansam, vocês me cansam... Eu estou sempre disposto a ir mais longe, mais longe na reflexão e na compreensão, mas vocês são caprichosos demais, caprichosos demais... Andem, me deixem em paz...

Os três ratos gigantes fazem uma cara extremamente abatida. Eles recuam e voltam para seu canto.

Não me digam que vocês querem um Rei... Que vocês querem que eu vire o Rei de vocês... O Rei dos ratos... Mas, francamente, foi por isso que vocês vieram? Foi por isso que vocês invadiram a cidade? Foi por isso que vocês de repente saíram, tão numerosos, das entranhas da terra? Foi porque eu fui tomado pelo desgosto... O desgosto terrível que me invadiu, ele tinha cheiro? O mortal desgosto real atraiu vocês para mim... e foi por isso que vocês me escolheram...

Os três ratos confabulam e fazem sinal de que não.

Não foi isso, então?

Os três ratos gigantes fazem sinal de que não. Seus gestos traem um sentimento de culpa diante de sua incapacidade de fazer o Rei entender quais são suas verdadeiras intenções.

Mas não, claro, para que serve um Rei tão fraco quando vocês são tão fortes...

Os ratos confabulam rapidamente e depois baixam a cabeça para ressaltar que não são tão fortes assim.

Triboulet!

O Rei sobe no patíbulo e grita novamente.

Triboulet, cadê você? Triboulet... Ele não responde... Ele me deixou sozinho com os ratos...

Para os três ratos gigantes.

Vocês estão vendo o que fizeram? Ele ficou zangado com vocês... Vocês conseguiram deixar ele bravo...

Os ratos fazem cara de total inocência.

Por que vocês comeram o tapete dele? Por que vocês comeram a corda e metade da forca dele? Se o carrasco finalmente aparecer, como é que ele vai poder fazer o trabalho dele?

Os ratos dão a impressão de estar realmente desolados. Um dos ratos enxuga uma lágrima.

Isso não está nada bem, senhores ratos! Logo vocês também vão atacar meu patíbulo...

Sem hesitar, os ratos fazem sinal de que não.

Vocês já petiscaram uma boa metade do cabo do machado...

Os ratos se entreolham, com severidade, como se quisessem identificar o culpado.

Daqui a pouco não vai dar nem para pegar o machado... E então? Estou esperando uma resposta. Vocês vão parar ou não?

Os ratos fazem sinal de que sim.

E eu posso confiar em vocês, ou não?

Os ratos fazem sinal de que sim. Novamente, um dos ratos enxuga uma lágrima.

Chorar agora não serve para nada. Era preciso ter pensado antes... Venha cá, venha cá...

O rato que chora avança na direção do Rei.

Ficar chorando não serve para nada, rigorosamente nada.

O Rei tira do bolso um lenço todo de renda e enxuga as lágrimas do primeiro rato.

E, de todo jeito, por essa eu não esperava... Um rato grande como você chorando assim...

O segundo rato avança na direção do Rei para que ele lhe enxugue as lágrimas.

Ratos grandes como vocês...

O Rei enxuga as lágrimas do segundo rato.

Chorando desse jeito...

A mesma coisa com o terceiro rato.

Vamos, coragem, a gente ainda vai se entender...

Ouve-se um som bizarro que se aproxima. O Bufão aparece. Anda com pernas de pau. É seguido por um cortejo de ratos, de todos os tamanhos. É como se o Bufão tivesse uma longa cauda de ratos atrás de si. Os ratos se aglutinam em torno do cadafalso, mas permanecem a uma distância respeitosa.

BUFÃO: Foram todos para o mar...

Os três ratos gigantes se retiram para seu canto.

REI: Ah, Triboulet... Você me abandonou de novo.

BUFÃO: Majestade, entendeis o que estou dizendo? Eu encontrei os rastros dos fujões. Foram todos para o mar... Vinde ver. Há milhares de pegadas que se dirigem para o mar... Vosso povo fugiu para o mar.

REI: Você nunca está presente quando devia estar. Eu gritei como um louco, e você nem me respondia.

BUFÃO: É porque meu ouvido está sangrando. Esses ratos todos, tocando esses instrumentos todos, me deixaram completamente louco... Majestade, temos que ir atrás deles... Todas as pegadas levam para o mar... Por alguma razão desconhecida, o povo largou tudo e se precipitou para o mar... Parece que foi um negócio muito violento. Tem sangue por toda parte na cidade... As ruas, os muros, as portas, as janelas, os telhados das casas, está tudo salpicado do sangue dos tímpanos arrebentados... Parece até que foi a música dos ratos que fez eles explodirem... Mas nós, nós podemos sair, não tem perigo. Por alguma razão que me escapa, os ratos gostam de nós. Nenhum deles ousou soprar sua flauta enquanto eu passava... Vamos, temos que ir embora, temos que aproveitar a maré baixa...

REI: Eu, sair atrás do meu povo! Já não fui humilhado o suficiente tendo sido largado aqui esperando? Já faz três semanas que estou esperando em cima do meu cadafalso! Há três semanas que o Rei espera sua execução, e eles, eles vão embora e se jogam no mar. Não, Triboulet, daqui eu não saio! Quero ser executado hoje mesmo!

BUFÃO: De fato, Majestade, não há dúvida de que podemos ser executados hoje ou nos próximos dias... Vinde, o cheiro do mar vos fará bem.

REI: Não, Triboulet! Não. Isso fere a minha dignidade. Um Rei condenado à morte jamais deixa seu cadafalso. Vou esperar aqui, só de camisa, com o colarinho aberto, até o fim dos tempos se for preciso...

BUFÃO: Majestade, por favor... Para que essa atitude de criança ofendida? Tomai, eu vos trouxe um par de pernas de pau... É o único jeito de conseguir andar... Os ratos são tantos que cobriram todas as ruas. Para passar por eles, só de perna de pau.

REI: Não, Triboulet, estou cansado... Com a força que me resta vou guardar aquilo que resta do meu patíbulo e o que resta do machado... Todas as manhãs, na hora em que acordo, encontro marcas de dentes no patíbulo... Ele já vai diminuindo como um pedaço de queijo esquecido sobre a mesa da cozinha... Não, Triboulet, é aqui que eu vou ficar... Os senhores ratos precisam da minha ternura... Já consegui resolver para eles o problema fundamental da filosofia... Mais um pouco e conseguiremos nos comunicar... O que eles querem de mim ainda é um enigma, mas já sei que não peso um rato...

O Rei soluça.

BUFÃO: Vós vedes, Majestade, que soluçais. É porque está cada vez mais frio. É por isso que estou dizendo, é melhor andarmos um pouco. E vós vereis como é engraçado estar em cima das pernas de pau. Vós vos sentireis leve como uma pluma. Eu, desde que me empoleirei aqui, me sinto menos deformado...

Há um súbito movimento na multidão de ratos. Os três ratos gigantes dão alguns passos na direção do Rei, como se quisessem incitá-lo a subir nas pernas de pau.

REI (*para os três ratos*): O quê? Vocês querem que eu banque o bobo? Que eu vá atrás do meu povo? É isso que vocês querem? (*Os três ratos se entreolham rapidamente, mas se abstêm de dizer sim ou não.*) Eu achava que vocês precisavam de um Rei, mas me parece que vocês precisam é de um bufão... É verdade isso, meus amigos? (*Os três ratos confabulam, mas não dizem nem sim, nem não.*) Vamos, Triboulet, ajude-me a ficar mais leve... Nós vamos virar espetáculo para nossos novos amigos, os senhores ratos...

O Rei sobe nas pernas de pau. O Bufão o ajuda a dar os primeiros passos. Os três ratos gigantes caminham atrás deles, enquanto os outros observam a cena atentamente.

BUFÃO: Bravo, Majestade! Vós sois enfim verdadeiramente grande! Como vós vos sentis, andando em pernas de pau sobre as imundícies do mundo? E vós vereis, lá embaixo, que andar com perna de pau em meio aos ratos é melhor ainda...

Envolvidos pela névoa, o Rei e o Bufão caminham com pernas de pau, seguidos pela multidão dos ratos. Ouvem-se as ondas do mar.

REI: Estou com frio, Triboulet. Sinto que está fazendo frio dentro da minha cabeça.

BUFÃO: Mais um pouco, Majestade... Estamos quase chegando.

REI: E se a gente parasse um pouquinho? E se fizéssemos uma fogueira? Hein?

BUFÃO: Olhai, Majestade. Não é bonito? Vede essas pegadas na areia...

REI: Quando fecho os olhos tenho a impressão de que a pedra está falando comigo. Você acha que eu deveria responder?

BUFÃO: Não tenhais medo, Majestade. O mar baixo fica realmente calmo. E depois, como vos disse, é muito mais fácil quando a maré está baixa.

O Rei e o Bufão entram lentamente no mar.

REI: Psst! Escute... Está ouvindo isso?

BUFÃO: O quê?

REI: Escute só esse silêncio. Você não tem a impressão de que já falamos isso que estamos falando agora?

BUFÃO: Vinde, segui-me... Não olhai para trás, não olhai para a direita, não olhai para a esquerda. Olhai apenas para frente. Vedes aquela nuvem tão baixa...

O Rei e o Bufão avançam mais ainda dentro do mar.

REI: Triboulet...

BUFÃO: Sim...

REI: Triboulet, acho que acabo de ter sido tomado por uma revelação!

BUFÃO: Perdão? Vós fostes tomado pelo quê, Majestade?

REI: Finalmente, Triboulet, estou entendendo... Estou entendendo, agora eu sei...

BUFÃO: Entendeis o quê, Majestade, sabeis o quê? Atenção, Majestade, às vezes as pernas de pau provocam vertigem...

REI: Pelo amor dos ratos, estou entendendo, agora eu sei! Eu sei por que os ratos estão vindo atrás de nós.

BUFÃO: Majestade, parai de falar comigo nesse tom abstrato. Bem sabeis que isso me dá soluços.

Os três ratos gigantes e toda a multidão de ratos soluçam.

REI: Eu sei, eu sei... Finalmente a luz da razão me esclareceu. (*Ele se vira e se dirige aos ratos.*) Eu sei, eu sei, meus amigos, eu sei, meus irmãos, por que vocês se dão ao trabalho de vir atrás de mim, de me seguir, de me libertar, de velar por mim, de cuidar de mim e de ouvir minhas palavras... Eu sei, agora eu sei o que impeliu vocês a me procurar, a me farejar, a me dar tantos sinais de ternura...

Os três ratos gigantes também entram no mar, aproximam-se ainda mais do Rei e aguardam, extremamente tensos.

Triboulet, eles querem a pedra! (*Todos os ratos começam a gritar.*) Sim, eles querem a pedra! Você que falou, Triboulet, que eu tenho uma pedra crescendo na cabeça, que na minha cabeça tem uma pedra da loucura... É isso que eles querem... (*Para os três ratos gigantes.*) É isso que vocês querem, não é? (*Os três ratos fazem sinal de que sim.*) Está vendo, Triboulet? As pernas de pau me ajudaram a enxergar longe... Ajude-me a descer, Triboulet, e procure um jeito de proceder à operação...

BUFÃO: Mas... Majestade... Aquilo era só uma piada de bufão... Não me digais que...

REI: Ande, Triboulet, não há mais tempo a perder... A maré está subindo... O tempo dos ratos é precioso... E de resto, eu quero entrar no mar mesmo...

O Rei, sem as pernas de pau, fica de joelhos entre as ondas. Os três ratos gigantes imediatamente põem-se à sua volta.

BUFÃO (*ainda sobre as pernas de pau*): Majestade, nunca fiz esse tipo de operação... Tenho medo de ser desajeitado...

REI (*estende ao Bufão a navalha real*): Cale a boca, Triboulet! Há anos você me massageia a cachola, há anos me fala dessa pedra, diz que toca nela com os dedos, fica medindo ela e me informa a respeito do crescimento dela. Chegou a hora de cortar o mal pela raiz. Tire essa pedra e jogue ela pros ratos.

Os ratos fazem sinal de que sim. O vento aumenta. A luz diminui. Um estranho raio de luz se coloca sobre o crânio do Rei. O Bufão começa a trabalhar, um pouco à moda de um cabeleireiro. Cobre o Rei com uma capa branca. Com a navalha, corta um quadrado na capa, logo abaixo do crânio. A operação continua, num registro grotesco, como na pintura de Bosch.

BUFÃO: Não se mexa, meu Reizinho. Vai ser sem dificuldade e sem angústia que vamos fazer tudo. Vamos levantar agora o chapeuzinho... Olhe... (*Ele realmente abre a calota craniana e coloca-a entre as patas dos ratos. Com ar curioso, os ratos gigantes se inclinam para ver o que há na caixa craniana do Rei.*) Com cuidado, com cuidado, meus pequenos... Logo vocês serão saciados... Vamos fuxicar um pouco mais a cachola real... E pronto, achei... (*Para o Rei.*) Força, meu grande, que agora vou arrancá-la como um dente... (*Um dos ratos gigantes, agora assistente do Bufão, passa-lhe uma tenaz de carpinteiro. O Bufão extrai da cabeça do Rei uma bela pedra cintilante.*) E olhe que beleza...

REI: Quero ver, quero ver também!

BUFÃO: Um momento, Vossa Alteza... Um momento enquanto atarraxo a parte que falta... (*O Bufão coloca de volta a calota craniana e a atarraxa.*) E pronto, podeis levantar-vos...

O Rei se põe de pé, no mar que sobe. Contempla a pedra que cintila nas mãos do Bufão.

REI: Ela é verdadeiramente bela, meu primo...

BUFÃO: Quereis tocá-la?

REI: Não, já a guardei bastante tempo na minha cabeça. Ande, jogue a pedra para os ratos... Assim nos despediremos!

O Bufão dá a pedra aos ratos.

BUFÃO: Tomem, ela é sua, a pedra *folisofal*... Adeus, senhores ratos! Como vos sentis, Majestade?

O Rei avança contra as ondas, com pressa de desaparecer no mar.

REI: Não sei, Triboulet. (*Apoia-se no Bufão.*) Ajude-me um pouco, estou com vertigem...

BUFÃO: Eis que foi assim que o bobo Triboulet extirpou a pedra da loucura da cabeça do seu Rei...

REI: E que felicidade houve então no planeta Meteoro...

O Rei e o Bufão desaparecem no mar. Ainda se pode ouvir o diálogo deles.

VOZ DO REI: Sim, sim... palavra de Rei... Foi você, Triboulet, meu bobo e meu bufão, que foi...

VOZ DO BUFÃO: Majestade, eu não tinha pedido tanto...

VOZ DO REI: Sim, sim, você merece...

VOZ DO BUFÃO (*cada vez mais fraca*): Majestade, por favor... Vós me fazeis chorar.

VOZ DO REI (*cada vez mais fraca*): Foi graças a você que consegui *eguantar*, finalmente, a vertigem da minha única *mússola boral*...

VOZ DO BUFÃO (*cada vez mais fraca*): Oh, como é terrível, terrível *basser* que as orelhas de *laguinha* da história *majais* registrarão nada... *majais* nada...

Os ratos ficaram na praia, com a pedra "folisofal" entre as patas. O maior dos ratos examina a pedra, sempre cintilante. Depois, pega a flauta do Bufão. Examina a flauta. Coloca-a na boca e sai um som assustador.

O rato desmonta a flauta, desenroscando-a. Examina as duas partes. Coloca a pedra da loucura dentro de uma das partes da flauta, no lugar onde as duas partes se juntam. Une de novo as duas partes da flauta, enroscando-as.

O rato coloca a flauta na boca e começa a tocar. A música é divina.

Fim

NOTAS DO AUTOR

O *canto do bufão*, que me permiti incluir no princípio de cada ato da peça, é uma citação. Os versos aparecem na obra *Le Sceptre et la Marotte* [O Cetro e o Bastão], de Maurice Lever, Editions Fayard, Paris, 1983.

Por outro lado, o bobo e o rei gostam de às vezes "torcer" as palavras. Não quis abusar dessa técnica, mas qualquer encenador que queira ir mais longe nesse caminho pode fazê-lo, com a condição de "equilibrar a dose". Pode-se obter efeitos divertidos, tanto nas palavras quanto em algumas réplicas. Eis algumas propostas:

falar – lafar
ninguém – guém-nin
repetir – peterir
fronteiras – tronfeiras
cavaleiro – vacaleiro
enxergar – xerengar
é o fim – fé o im
paciência – cipaência

Ou, de modo mais complexo:

a revolução precisa de um bufão
a verolução frecisa de um fubão,

etc.

DADOS INTERNACIONAIS DE CATALOGAÇÃO NA PUBLICAÇÃO (CIP)
(CÂMARA BRASILEIRA DO LIVRO, SP, BRASIL)

Visniec, Matéi
  O rei, o rato e o bufão do rei / Matéi Visniec; tradução
Pedro Sette-Câmara. – São Paulo: É Realizações, 2012. –
(Biblioteca teatral. Coleção dramaturgia)

  Título original: Le roi, le rat et le fou du roi
  ISBN 978-85-8033-109-7

  1. Teatro francês (Escritores romenos) I. Título. II. Série.

12-09487   CDD-842

ÍNDICES PARA CATÁLOGO SISTEMÁTICO:
1. Teatro : Literatura francesa   842

Este livro foi impresso pela
Gráfica Vida & Consciência
para É Realizações, em julho
de 2012. Os tipos usados são
da família Sabon LT Std e
Helvética Neue. O papel do
miolo é alta alvura 90g, e o
da capa, cartão supremo 250g.